Найди пару:

СОДЕРЖАНИЕ

Лучшие СКАЗКИ
для маленьких принцесс

Художник Тони Вульф

«ПЛАНЕТА ДЕТСТВА»

СПЯЩАЯ КРАСАВИЦА

Жили-были король с королевой. Родилась у них дочь. На радостях король устроил пир. Созвали во дворец всех фей. Но об одной, самой старой и злой, позабыли. Разъярённая фея влетела во дворец, наклонилась над колыбелькой принцессы и прошептала:

— Когда тебе исполнится пятнадцать лет, ты уколешь палец веретеном и умрёшь!

Но тут добрая юная фея отогнула полог колыбели и громко произнесла:

— Отменить сказанное я не могу. Но исправить сумею. Принцесса не умрёт, а только заснёт. И пробудить её сможет прекрасный принц.

Король, желая уберечь принцессу от несчастья, запретил всем подданным прясть и держать в доме веретёна.

Прошло пятнадцать лет. Задумал король отправиться в свой загородный замок. Там принцесса забрела на самый верх башни, где сидела старая-престарая служанка и, ни о чём не ведая, пряла пряжу.

— Что это вы делаете, тётушка? — удивилась принцесса. — Можно и я попробую?

Не успела старушка ахнуть, как девушка взяла веретено, уколола им палец и упала замертво.

На крики перепуганной старушки сбежались люди. Как ни старались они, пробудить принцессу не удавалось. Самые лучшие лекари, мудрецы и волшебники ничего не могли поделать. Прослышала о несчастье добрая фея и тут же прилетела во дворец.

У ложа неподвижной принцессы сидел печальный король. Рыдала над беспробудно спавшей дочерью мать-королева.

— Не плачьте, — сказала фея. — Ваша дочь не умерла. Она проснётся. Но до той поры пройдёт сто лет.

Ещё пуще зарыдала королева:

— Тогда меня уж и на свете не будет. Проснётся моя дочь круглой сиротой. Некому будет её утешить и приласкать.

— Этого не случится, — сказала фея.

Она прикоснулась своей волшебной палочкой к королю и королеве, коснулась придворных, тронула коней в конюшне и конюхов, поварят на кухне и солдат у ворот. Не забыла никого и ничего — ни единого деревца и травинки в парке. Весь дворец погрузился в сон. Даже пламя в очаге застыло алыми огненными языками.

Оглядела фея заколдованный дворец и в последний раз взмахнула золотой палочкой.

В то же мгновение вокруг дворца поднялся дремучий лес.

Тропинки и дорожки заросли колючими кустами терновника. Не только человек, но и дикий зверь не смог бы пробраться сквозь эти заросли. И только издали, с вершины горы, можно было бы увидеть шпиль старинной башни. Впрочем, и он был скорее похож на верхушку старой ели.

Шли годы. Много королей сменилось на троне той страны. Все уже позабыли, что где-то здесь стоял королевский дворец.

Но вот минуло сто лет. В том дремучем лесу охотился прекрасный принц. Он забрёл в густые дебри и уже хотел поворачивать назад. Но вдруг раздвинул перед ним сплетённые ветки колючий кустарник. Расступились могучие деревья. Открылась такая узкая тропинка, что конному не проехать. Спешился принц и повёл коня на поводу. Долго брёл он по заколдованному лесу и вдруг увидел высокие и стройные башни старинного дворца. Принц смело пошёл вперёд. Дойдя до просторного двора, он огляделся и обмер. Вокруг стояли, лежали на ступенях, сидели, прислонясь к колоннам, неподвижные люди в старинных одеждах.

Поначалу принц решил, что перед ним мёртвое царство. Но, приглядевшись, понял, что все эти люди просто спят. Некоторые даже держали в руках кубки с вином.

— Проснитесь! — тормошил принц сражённых сном людей, но никто не пробудился. Тогда он поднялся по мраморным ступеням и вошёл в зал, где на увитом цветами ложе покоилась прекрасная юная принцесса.

Поражённый её красотой, принц приблизился, опустился на одно колено и поцеловал принцессу...

Тут и пробил час, назначенный доброй феей.

Принцесса проснулась, открыла глаза и, взглянув на принца, промолвила:

— Как долго я ждала вас, принц!

Не успела она договорить, как всё вокруг ожило. Музыканты заиграли на скрипках и гобоях весёлую мелодию. Закружились в танце придворные. Принц взял за руку принцессу, и они не могли налюбоваться друг на друга.

А через несколько дней сыграли пышную свадьбу. Не забыли пригласить и добрую фею. Она осталась такой же юной, как и сто лет назад.

ЗОЛУШКА, ИЛИ ХРУСТАЛЬНАЯ ТУФЕЛЬКА

ил в одном королевстве знатный господин со своей женой и прелестной дочерью. Мир и согласие царили в их доме. Жить бы им да радоваться. Но, видно, не суждено им было такое счастье. Недолго проболев, добрая женщина умерла. И остался муж без жены, а дочь — без матери.

Долго горевали они. Но настал день, и отец привёл в дом женщину с двумя дочерьми — себе вторую жену, а дочери — мачеху и сестёр.

Вскоре отец уехал. Он велел всем жить дружно и дожидаться его возвращения. Но ни мачеха, которая оказалась злой и сварливой женщиной, ни её вздорные дочери и не думали выполнять наказ отца.

Злая мачеха взвалила всю тяжёлую и грязную работу на хрупкие плечи падчерицы.

Чёрные дни настали для бедной девушки. Она трудилась не покладая рук и молча сносила упрёки и злые насмешки мачехи и сестёр.

Днём, улучив минуту для отдыха, она забивалась в тёмный уголок, устроившись на ящике с золой. За это мачеха стала называть её Золушкой.

Однажды утром жителей города разбудили звуки труб, фанфар и голоса королевских глашатаев:

— Слушайте все! Через три дня Его Величество король устраивает грандиозный бал в честь принца — своего единственного сына и наследника! Во дворец приглашаются знатные горожане с жёнами и дочерями!

Приглашение на бал во дворец получили и Золушкины сёстры.

— У меня и моих малюток, — заявила мачеха, — должны быть самые роскошные платья и самые необыкновенные причёски!

И хотя одна малютка была похожа на бочку, а вторая — на швабру, Золушка жалела их и сделала всё, чтобы доставить удовольствие своим неблагодарным сёстрам. Слишком уж доброе у неё было сердце.

Мачеха и сёстры были очень довольны. Но ни одна из них не поблагодарила бедную девушку, которая, не поднимая головы, трудилась три дня и три ночи.

Когда мачеха и сёстры уехали, Золушка села у камина на ящик с золой и горько заплакала.

— Что с тобой, дитя моё? — услышала она чей-то ласковый голос.

Это был голос доброй феи-волшебницы, которая присутствовала при рождении Золушки.

— Тебе хотелось бы поехать на бал? — спросила фея.

— Да, очень! — всхлипывая, ответила Золушка.

— Ты непременно будешь танцевать на балу с принцем! — сказала фея. — А теперь слушай меня и делай всё, как я скажу. Видела я на твоём огороде большую тыкву. Сбегай и принеси её.

И тут начали происходить настоящие чудеса! Одним прикосновением своей палочки фея превратила большую рыжую тыкву в великолепную золотую карету, выбежавших из подвала мышей — в прекрасных коней серебристо-серой масти, а крысу — в кучера!

— Нет ли в вашем саду зелёных ящериц? — спросила фея.

— Да, да! Конечно есть! За лейкой в куче песка. Они всегда там греются на солнышке, — ответила Золушка.

Две зелёные ящерицы были превращены в выездных лакеев, одетых в зелёные ливреи с золотыми галунами.

И тут фея увидела, что Золушка застенчиво прикрыла заплатку на своём стареньком платье. Тогда фея коснулась заплатки волшебной палочкой, и на Золушке оказалось платье из золотой парчи, усыпанное драгоценными камнями! А на ногах вместо грубых деревянных башмаков — туфельки из чистого хрусталя!

Милое лицо Золушки сияло от счастья!

Фея усадила Золушку в карету и строго-настрого предупредила:

— Запомни, дорогая! Ты должна возвратиться домой до полуночи! Если опоздаешь хоть на одну минуту, твоя карета станет тыквой, кони — мышами, лакеи — ящерицами, кучер — крысой. Твой прекрасный наряд превратится в старенькое платье, а хрустальные туфельки — в деревянные башмаки.

— Спасибо! Спасибо! Я не опоздаю! — воскликнула Золушка.

А в это время во дворце бал был в самом разгаре.

— Во дворец прибыла неизвестная принцесса невиданной красоты! Вот она! — вдруг провозгласил распорядитель бала.

Принц бросился ей навстречу и, учтиво поклонившись, предложил руку. Шёпот восхищения слышался со всех сторон!

Принц ни на шаг не отходил от своей таинственной гостьи и не сводил с неё глаз.

Чудесная музыка полилась по залу.

Принц поклонился Золушке и пригласил её на танец. Счастливая улыбка озарила милое лицо Золушки. Она не танцевала, она порхала, словно бабочка, и улыбалась всем, кто на неё смотрел.

Вдруг Золушка услышала объявление распорядителя бала:

— Через пятнадцать минут, ровно в полночь, во дворцовом парке будет произведён фейерверк — ночное небо украсят сотни разноцветных огней! Не пропустите это фантастическое зрелище!

— Пятнадцать минут до полуночи! — прошептала Золушка.

Она так быстро покинула зал, что никто и не заметил её исчезновения. А бедный принц был просто в отчаянии.

Золушка подъехала к дому ровно в полночь.

Как и в первый раз, фея-волшебница появилась неожиданно.

— Ах, — воскликнула Золушка, — я вам так благодарна! Вы подарили мне такой чудесный праздник! Только... Смею ли я просить вас позволить мне ещё хоть раз побывать на балу в королевском дворце?

— Утро вечера мудренее, — произнесла волшебница и исчезла...

Едва Золушка переступила порог дома и надела фартук, как услышала громкие голоса мачехи и сестёр.

— Какое великолепие! Бедная замарашка, тебе и во сне такое не приснится! На балу была принцесса такой красоты. Принц весь вечер танцевал только с ней!

Утром следующего дня было объявлено, что вечером состоится продолжение бала.

На этот раз принц ни на минуту не покидал принцессу, но ему снова не удалось догнать беглянку. Всё, что от неё осталось, была маленькая хрустальная туфелька.

Принц приказал объявить, что девушка, которой придётся впору эта туфелька, станет его женой.

По городу разъезжали доверенные люди принца.

Дошла очередь и до сестёр Золушки. Но они напрасно старались втиснуть свои ноги в маленькую туфельку.

И тут придворный посланец заметил в углу на ящике с золой бедно одетую девушку.

— Я получил приказание от принца примерять туфельку всем девушкам в городе, — сказал он. — Позвольте вашу ножку, милая.

Золушка без всяких усилий надела на свою ножку хрустальную туфельку. А когда она достала из кармана и надела точно такую же туфельку на другую ногу, сёстры и мачеха покраснели от зависти и злобы.

Золушку отвезли во дворец. Её встречали король с королевой, счастливый принц и придворные.

Вскоре из далёкого путешествия вернулся отец Золушки. И через несколько дней во дворце сыграли весёлую свадьбу.

Среди гостей были и мачеха, и её дочери. Наконец-то они оценили щедрость и доброту Золушки, которую звали теперь только так: «Дорогая принцесса Женевьева».

КРАСАВИЦА И ЧУДОВИЩЕ

ил в стародавние времена один богатый купец. И было у него три дочери, все три — красавицы. Младшая дочь была самой красивой из сестёр. Все её так и называли — Красавица.

Самые именитые купцы сватались ко всем трём сёстрам. Но две старшие дочери объявили, что выйдут замуж только за знатных и богатых женихов.

Красавица же пока не думала о женихах, она хотела подольше пожить с отцом в родном доме.

К несчастью, торговля у купца шла всё хуже и хуже, и вскоре он разорился. Семье пришлось переехать в небольшой дом далеко за городом и рассчитать прислугу.

Старшие сёстры-белоручки и не думали заниматься хозяйством, а только скучали да вспоминали о прошлой беззаботной жизни. Одна Красавица трудилась не покладая рук — вставала рано утром, убирала комнаты и готовила скромный обед.

Однажды купец решил всё же попытать счастья за морем. Перед отплытием стал он спрашивать, кому каких гостинцев привезти.

Старшая сестра попросила привезти ей новое платье и соболью накидку. Средняя — жемчужное ожерелье.

— А тебе что привезти в подарок? — спросил отец свою любимицу, младшую дочь.

— Привези мне, батюшка, розу алую, — попросила Красавица.

Сёстры Красавицы, услыхав о такой просьбе, лишь усмехнулись.

Купец уехал, забрав остатки своих товаров. Но и за морями не смог их выгодно продать и возвращался домой вконец разорённым.

На обратном пути купец заблудился в лесу. Вдруг увидел он вдалеке огонёк и поспешил к нему навстречу.

Очутился купец перед ярко освещённым дворцом, постучал в дверь, дверь отворилась, и он вошёл внутрь. К его большому удивлению, во дворце никого не было.

Купец прошёл в большой зал, где горел камин и стоял накрытый великолепными яствами и винами стол. Ждал купец хозяина, ждал — не дождался, сел за стол и начал ужинать один, потом сел в кресло у камина и уснул.

Утром увидел купец, что вместо его старой одежды лежит на спинке кресла новая, дорогая. Купец оделся и пошёл за лошадью в конюшню, не зная, кого и благодарить за гостеприимство. Когда выходил он из дворца, то увидел, что весь двор был в розах, и вспомнил о просьбе своей младшей дочери. Сорвал купец самую большую алую розу. В тот же миг перед ним появился страшный зверь, настоящее Чудовище.

— Как ты посмел, неблагодарный, сорвать мою розу! Свои розы я люблю больше всего на свете! — прорычало Чудовище.

— Простите меня! Я не хотел вас обидеть. А розу сорвал для моей младшей дочери, — ответил купец.

— Отпущу я тебя, если одна из твоих дочерей по доброй воле явится сюда, — сказало Чудовище. — Но если не захотят дочери ехать, сам вернёшься.

Купец пообещал вернуться.

Отпустило Чудовище купца не с пустыми руками, а с сундуком золотых монет.

«Уж раз суждено мне умереть, хоть детям денег оставлю», — думал купец, возвращаясь домой.

Дома купец рассказал всё, что с ним приключилось.

Старшие сёстры накинулись на Красавицу с упрёками:

— Из-за тебя, из-за твоей розы отец наш должен умереть!

— Нет, сестрицы, не умрёт наш отец. Я поеду к Чудовищу!

Никакие уговоры отца не помогли, и Красавица отправилась в дорогу. Отец поехал вместе с ней.

Лошадь сама нашла дорогу в лесу, и вскоре они очутились перед дворцом.

— Пришла ли ты, Красавица, по доброй воле? — спросило Чудовище девушку.

От страха Красавица не могла и слова вымолвить, лишь только кивнула головой.

— Вы — честный человек, — обратилось Чудовище к отцу, — можете уехать домой завтра утром. Но никогда не возвращайтесь сюда!

На следующий день Красавица дала волю слезам, но потом успокоилась: любопытство взяло верх над страхом, и она пошла осматривать дворец. Дошла до столовой, присела за стол — тут же на столе появились блюда, заиграла тихая музыка.

Вдруг раздался шум, и в комнате появилось Чудовище.

— Красавица, позвольте мне побыть с вами.

— Вы здесь хозяин, — ответила девушка дрожа.

— Нет, хозяйка здесь вы! Стоит вам сказать одно слово, и я уйду. Я знаю, что вид мой ужасен и вы боитесь меня.

— Ваша правда, — ответила Красавица, — но мне кажется, что сердце у вас доброе.

Каждый вечер Чудовище приходило к девушке, развлекало беседой и исполняло малейшее её желание.

Красавица постепенно привязалась к Чудовищу, и они стали друзьями. Одно только огорчало девушку — при каждой встрече Чудовище спрашивало Красавицу, пойдёт ли она за него замуж, и каждый раз огорчалось, услышав ответ.

В одной из комнат дворца висело волшебное зеркало, и однажды Красавица увидела в нём отца, который лежал в постели тяжело больной. Красавица кинулась к Чудовищу.

— Прошу вас, отпустите меня домой к отцу, он умирает! — стала умолять девушка. — Обещаю, что вернусь через восемь дней.

— Завтра утром вы будете дома, но помните о своём обещании, — ответило Чудовище.

Утром следующего дня Красавица проснулась у себя дома. Она была счастлива. Теперь она могла ухаживать за больным отцом.

Восемь дней пролетели как один. Отец Красавицы поправился и окреп. И вот в ночь на девятый день увидела Красавица во сне, что Чудовище умирает от тоски по ней.

Красавица проснулась и только подумала о том, что она чуть-чуть не нарушила данное ею слово, как мгновенно очутилась во дворце. Чудовища нигде не было. И тут вспомнила Красавица, что во сне она видела его умирающим в лесу, на берегу ручья. Там она и нашла Чудовище.

Красавица обняла его и поцеловала.

— Не умирайте, милое Чудовище, — сказала Красавица. — Я буду вашей женой!

И тут свершилось чудо! Чудовище исчезло, а на его месте оказался прекрасный принц.

— Где же Чудовище? — только и смогла спросить девушка.

— Оно у ваших ног! — ответил принц. — Злая волшебница заколдовала меня, и снять колдовские чары смогла бы только девушка, которая полюбила бы страшное Чудовище. Вам я обязан своим спасением, милая Красавица!

Красавица подала руку принцу, и они вошли во дворец. Там их встретили отец Красавицы, её сёстры и множество гостей. Тут же сыграли весёлую свадьбу.

Красавица и принц жили долго и счастливо, потому что были они добрыми людьми.

КАЛИФ-АИСТ

давние времена правил в Багдаде калиф по имени Хасид. Все жители Багдада любили молодого, красивого правителя за его честность и доброту. Но был у него злейший враг, волшебник Кашнур, который мечтал свергнуть калифа и посадить на трон своего сына Мицру. И вот однажды, переодевшись торговцем, Кашнур предстал перед калифом и визирем Мансором. В руках у него был большой ларец, набитый всякой всячиной, из которой Хасид выбрал и купил для себя старинный кинжал, а для жены визиря — красивый гребень. Расплатившись с торговцем, калиф полюбопытствовал, что хранится в маленьком выдвижном ящичке ларца.

— Сказать по правде, я и сам не знаю, — ответил торговец, извлекая из ящичка какой-то пергамент, исписанный непонятными

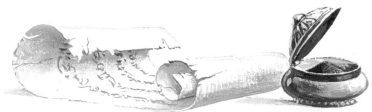

письменами, и табакерку с тёмным порошком. — Возьми это себе в подарок, о великий калиф!

И, низко поклонившись, торговец поспешил удалиться. А калиф отдал пергамент мудрецам и те расшифровали текст, который гласил: «Тот, кто понюхает этот порошок и произнесёт слово «Мутабор», может обернуться любым зверем или птицей! Если же он захочет вернуть себе человеческий облик, то пусть трижды поклонится на восток и вновь произнесёт это слово. Но горе тому, кто засмеётся в образе зверя или птицы! Он навеки забудет волшебное слово и никогда уже не станет человеком!»

— Как тебе это нравится, Мансор? — спросил калиф у визиря. — А что, если мы испытаем этот порошок на себе?

— Ваше величество, — ответил визирь, — если вам это нравится, то и мне тоже. Я готов!

И на рассвете следующего дня Хасид и Мансор отправились на прогулку по огромному дворцовому саду, рядом с которым находилось озеро. Приблизившись к озеру, они увидели двух аистов, и Хасид прошептал:

— Решено! Я хочу стать аистом! А ты, Мансор?

Визирь кивнул, и оба сейчас же понюхали порошок. А затем дружно произнесли:

— Мутабор!

В то же мгновение ноги у них стали тонкими и красными, башмаки превратились в лапы, руки — в крылья, а тело покрылось перьями.

— Ну, и клюв у вас, господин визирь! — воскликнул калиф. — Клянусь бородой пророка, я ещё не видел такого клюва!

— Это потому, ваше величество, — ответил визирь, — что вы не видите своего клюва.

Но тут до их ушей донёсся разговор двух аистов.

— Завтра у меня свадьба, — сказал один из них, — и я хотел бы разучить сейчас свой свадебный танец.

Второй аист кивнул в знак одобрения, и жених стал выделывать такие уморительные коленца, что калиф и визирь, разинув клювы, дружно расхохотались. Но тут же вспомнили о грозном предупреждении и в ужасе вскрикнули:

— Что мы наделали!

Трепеща от страха, они трижды поклонились на восток и, силясь вспомнить волшебное слово, замычали:

— Му-му-му...

Увы, проклятое слово бесследно исчезло из их памяти. С печальным криком они поднялись высоко в небо и закружились над Багдадом, где ещё никто не знал о страшной беде. А через несколько дней, пролетая над городской площадью, они увидели пышно разодетого всадника, за которым бежала толпа с громким криком:

— Да здравствует Мицра, повелитель Багдада!

— Теперь мне всё ясно, — с грустью промолвил калиф. — Мицра — сын волшебника Кашнура, который поклялся отобрать у меня трон.

— Что же нам делать? — вздохнул Мансор.

— Летим в Мекку, помолимся на могиле пророка, — ответил калиф. — Может быть, он поможет нам вспомнить забытое слово.

Но путь до Мекки был долгий, и вечером усталые аисты опустились на отдых у развалин старого храма. Заглянув в одну из его тёмных, полуразрушенных комнат, они вдруг услышали чей-то горестный стон. И в ту же секунду два больших жёлтых глаза вспыхнули в темноте. То была сова, и аисты невольно попятились к выходу. Но сова остановила их ликующим криком:

27

— Наконец-то! Когда-то мне предсказали, что аисты принесут мне счастье! — и она смахнула слёзы крылом.

В ответ калиф поклонился и вежливо произнёс:

— Судя по всему, мы товарищи по несчастью и вряд ли принесём вам счастье.

И он поведал сове о беде, постигшей его и визиря. Выслушав калифа, сова сказала:

— В своей беде вы не одиноки. Я Луза, дочь владыки Индии. Когда-то злой волшебник Кашнур хотел женить на мне своего сына Мицру, чтобы стать хозяином моего королевства. Но я отказалась, и он превратил меня в сову. «Ты останешься совой до тех пор, — сказал он, — пока кто-нибудь не женится на тебе!»

— Что же нам теперь делать? — печально спросил калиф.

— Не падайте духом, — ответила сова. — Сегодня ночью в одной из комнат этого храма Кашнур будет пировать вместе с другими колдунами. И конечно, расскажет им, как обманул вас, и, может быть, произнесёт спасительное слово.

— Но где же эта комната? — обрадовался калиф Хасид.

— Сначала один из вас должен дать клятву, что женится на

мне, — ответила сова после некоторого молчания. — Мы должны помогать друг другу.

— Вот что, Мансор, — прошептал Хасид визирю. — Делать нечего, ты должен жениться на сове.

— О, мой повелитель, — прошептал Мансор. — Если я приведу в дом молодую жену, моя старая жена выцарапает мне глаза! Лучше я останусь аистом, чем женюсь на сове!

Тогда Хасид повернулся к сове и со вздохом промолвил:

— Хорошо! Я даю клятву, что женюсь на тебе, если стану человеком!

И сова привела Хасида и Мансора к тому месту в храме, где в ту же ночь собрались злые колдуны и хвастались своими подвигами.

— А знаете ли вы, как я посадил на багдадский трон своего сына Мицру? — спросил Кашнур, когда очередь дошла до него. — Я сделал так, чтобы калиф и его визирь сами себя превратили в аистов и забыли заклятое слово, чтобы снова стать людьми!

— Какое же это слово? — весело зашумели волшебники.

— «Мутабор»!

Не помня себя от радости, аисты бросились к выходу из храма, на бегу повторяя, чтобы не забыть: «Мутабор! Мутабор! Мутабор!» Выбравшись наружу, они трижды поклонились на восток и произнесли волшебное слово. В тот же миг калиф и визирь снова стали людьми и, плача от счастья, бросились друг другу в объятия! Как вдруг услышали нежный голос:

— Я тоже счастливая вместе с вами!

Оглянувшись, они увидели девушку сказочной красоты. То была Луза, дочь индийского владыки. Очарованный принц протянул ей руку и сказал:

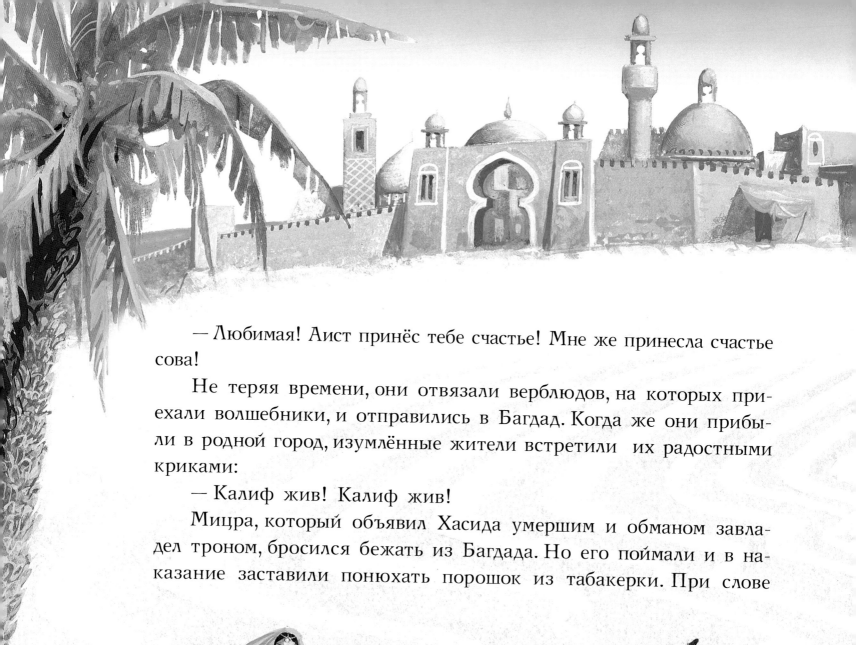

— Любимая! Аист принёс тебе счастье! Мне же принесла счастье сова!

Не теряя времени, они отвязали верблюдов, на которых приехали волшебники, и отправились в Багдад. Когда же они прибыли в родной город, изумлённые жители встретили их радостными криками:

— Калиф жив! Калиф жив!

Мицра, который объявил Хасида умершим и обманом завладел троном, бросился бежать из Багдада. Но его поймали и в наказание заставили понюхать порошок из табакерки. При слове

«Мутабор» Мицра превратился в аиста и с тех пор всю свою жизнь провёл в клетке, на самой высокой башне дворца — в назидание всем обманщикам и ворам. А проклятого волшебника Кашнура схватили и убили в том же месте, где он хвастался своими подвигами.

Так что история про калифа-аиста, начавшаяся так печально, закончилась самым лучшим образом. Калиф Хасид нашёл себе прекрасную жену, о которой всегда мечтал.

УДК 821-34-053.2(100)
ББК 84(0)
Л93

Для дошкольного возраста

ЛУЧШИЕ СКАЗКИ
ДЛЯ МАЛЕНЬКИХ ПРИНЦЕСС

В пересказе Е. Каргановой, Г. Сергеевой, М. Тарловского, Л. Яхнина

Художник Тони Вульф

Дизайн обложек Ю. Снурницыной

Редактор М. Парнякова. Художественный редактор М. Тюрина
Технический редактор Т. Тимошина. Корректор И. Мокина
Компьютерная вёрстка М. Дедовой

Подписано в печать с готовых диапозитивов заказчика 06.02.12.
Формат 60х100/8. Бумага мелованная. Печать офсетная.
Усл. печ. л. 4,44. Тираж 7000 экз. Заказ 109.

ООО «Издательство Астрель»
129085, г. Москва, проезд Ольминского, д. 3а

ООО «Издательство АСТ»
127006, г. Москва, ул. Садовая-Триумфальная, д.4-10

Наши электронные адреса:
www.ast.ru E-mail: astpub@aha.ru

Общероссийский классификатор продукции ОК-005-93, том 2;
953000 — книги, брошюры

Издано при участии ООО «Харвест». АИ № 02330/0494377 от 16.03.2009.
Республика Беларусь, 220013, г. Минск, ул. Кульман, д. 1, корп. 3, эт. 4, к. 42.
E-mail редакции: harvest@anitex.by

ООО «Принтхаус». ЛП № 02330/0552738 от 02.02.2010.
Республика Беларусь, 220015, г. Минск, ул. Одоевского, 117, 8 этаж, комн. 11.

ISBN 978-5-17-075485-4 (ООО «Издательство АСТ»)
ISBN 978-985-16-7643-5 (ООО «Издательство Астрель»)
ISBN 978-985-18-0297-1 (ООО «Издательство Харвест»)

Из какой сказки: